AIRBRUSH · WORKS

Umschlagvorderseite
Front cover
Reproduction de la couverture
GUERRINO BOATTO

Umschlagrückseite
Back cover
Reproduction au verso
PETER RÖSELER

INHALT · CONTENTS · SOMMAIRE

In der internationalen Illustratorenszene feiert die Airbrush-Technik Triumphe. Der Begriff „Foto-realismus" ist für die Meister der „Luftbürste" eher schon ein alter Hut. Ihre Bilder übertreffen oft-mals selbst die Ausdruckskraft ausgefeiltester Fototechniken. Die plastische „Echtheit" der abge-bildeten Objekte überschreitet die Grenzen des bislang Gekannten. Kein Wunder, daß gerade die Werbung diese Technik als erste für sich nutzte und so ein gutes Stück dazu beitrug, ihr zum Durchbruch zu verhelfen. Vierzehn internationale Airbrush-Künstler kommen in diesem Buch mit ihren Werken zu „Bild".

Airbrush technique has been a great success amongst international illustrators. The term "photo-graphic realism" is old hat to airbrush masters whose works often outstrip the most stylized photo-graphic techniques. The vivid authenticity of the objects portrayed in airbrush artwork surpasses the limits of hitherto known artistic media. Small wonder then that advertising was the first field to take advantage of this innovation and, in so doing, help it on the road to success. Works by fourteen international airbrush artists are presented in this book.

Sur la scène internationale d'illustrateurs, la technique Airbrush fête ses succès. La notion de «réalisme sur photo» représente déjà une histoire ancienne pour les maîtres de la «brosse d'air». Leurs images vont même souvent jusqu'à l'emporter sur la force d'expression des techniques de photo les plus sophistiquées. «L'authenticité» plastique des objets représentés dépasse les fron-tières de ce qui a été connu jusqu'alors. Il n'est pas étonnant que la publicité ait justement été la première à utiliser cette technique et qu'elle ait ainsi donc contribué en grande partie à la percée de cette dernière. Quatorze artistes internationaux d'Airbrush sont mis en valeur à travers leurs œuvres dans ce livre.

◁   86 × 60 cm
Kalender / Glückwunschkarte
Calendar / Greeting card
Calendrier / Carte de vœux

p. 8   55 × 70 cm
Poster

p. 9   37 × 51 cm
Poster

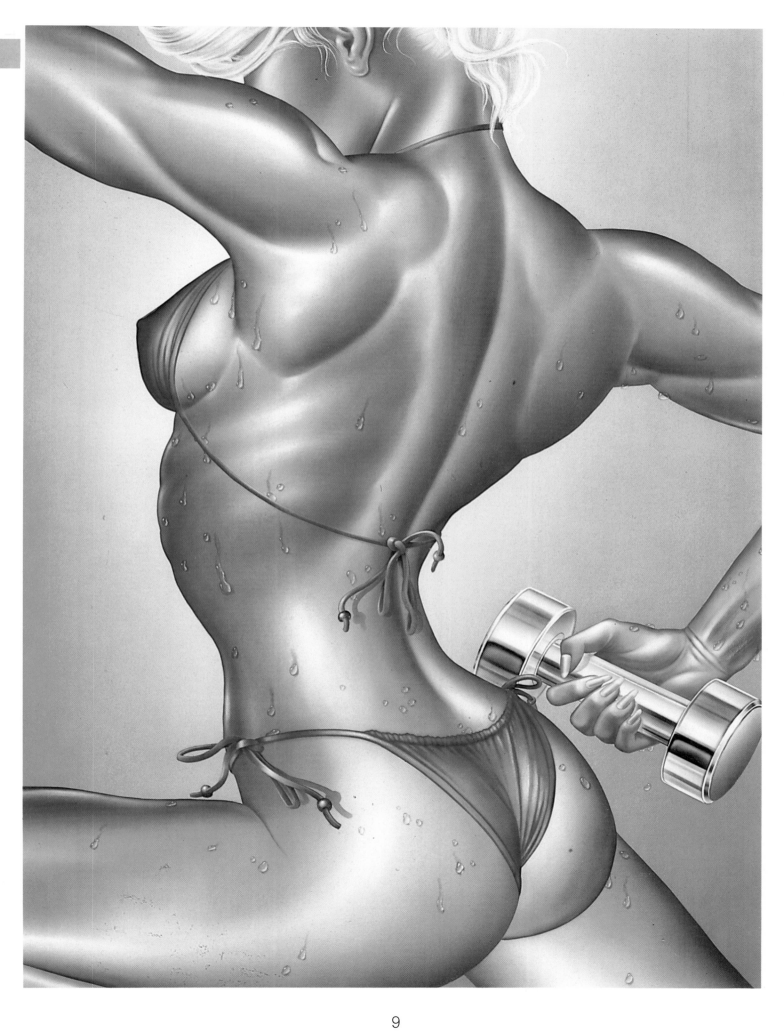

50 × 70 cm ▷
Magazinumschlag
Magazine cover
Couverture de magazine

50 × 70 cm
Poster
▽

60 × 75 cm ◁
Poster und Tragetasche
Poster and shopping bag
Poster et sac de courses

60 × 50 cm ▷
Postkarte
Postcard
Carte postale

40 × 50 cm ◁
Postkarte
Postcard
Carte postale

© Belin

BELIN ROGNER ARTISTS

▽ 40 × 40 cm
Zeitschriften- und Buchillu-
stration
Magazine and book illustration
Illustration de livre et de
magazine

40 × 50 cm ▷
Science-Fiction-Illustration
Science fiction illustration
Illustration de science-fiction

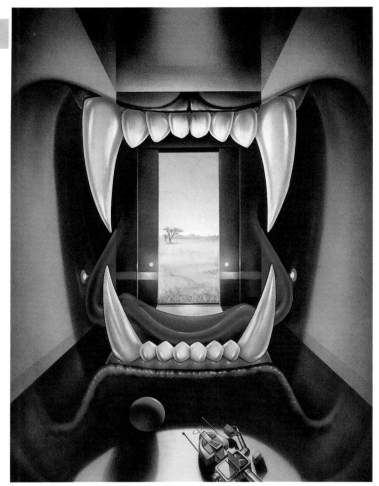

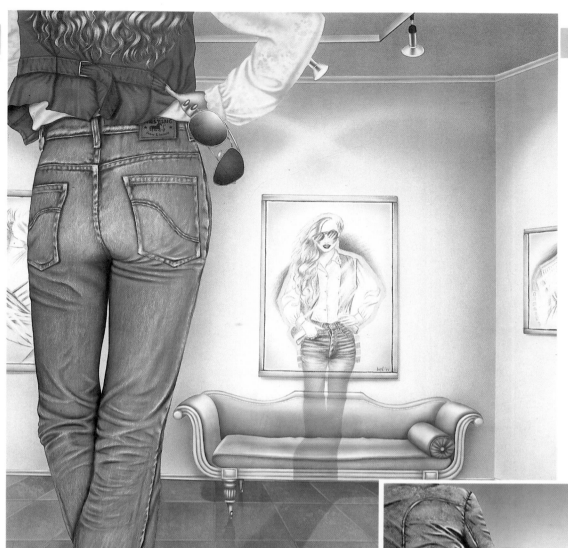

◁ 60 × 50 cm
Zeitschriftenillustration
Magazine illustration
Illustration de magazine

▷ 60 × 75 cm
Poster

◁ 80 × 70 cm
Jubiläumsgabe an Bestseller-
autor
Anniversary edition for author
of a bestseller
Cadeau de jubilé à l'auteur
d'un best-seller

60 × 50 cm ▷
Freie Arbeit
Freelance work
Travail libre

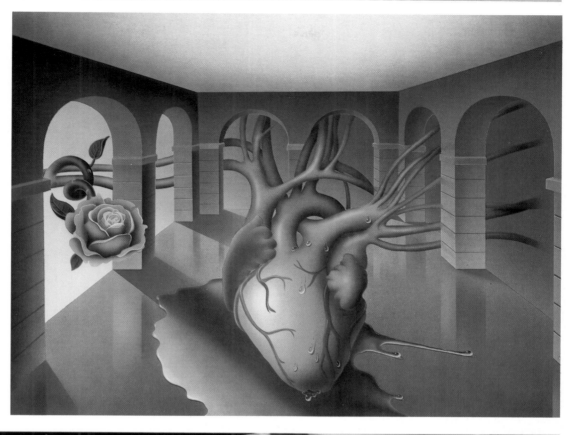

▽ 60 × 50 cm
Zeitschriftenillustration
Magazine illustration
Illustration de magazine

△ 50 × 70 cm
Kalenderillustration
Calendar illustration
Illustration de calendrier

50 × 80 cm ▷
Anzeigenmotiv
Advertising
Motif d'annonces

35 × 50 cm ▽
Verpackungsillustration
Illustration on wrapping paper
Illustration d'emballage

p. 18 △ 50 × 70 cm
Kalenderillustration
Calendar illustration
Illustration de calendrier

p. 18 ▽ 50 × 70 cm
Anzeigenmotiv
Advertising
Motif d'annonces

p. 19 50 × 70 cm
Anzeigenmotiv
Advertising
Motif d'annonces

▽   50 × 70 cm
Anzeigenmotiv
Advertising
Motif d'annonces

△   40 × 60 cm
Buchillustration
Book illustration
Illustration de livre

◁   50 × 70 cm
Anzeigenmotiv
Advertising
Motif d'annonces

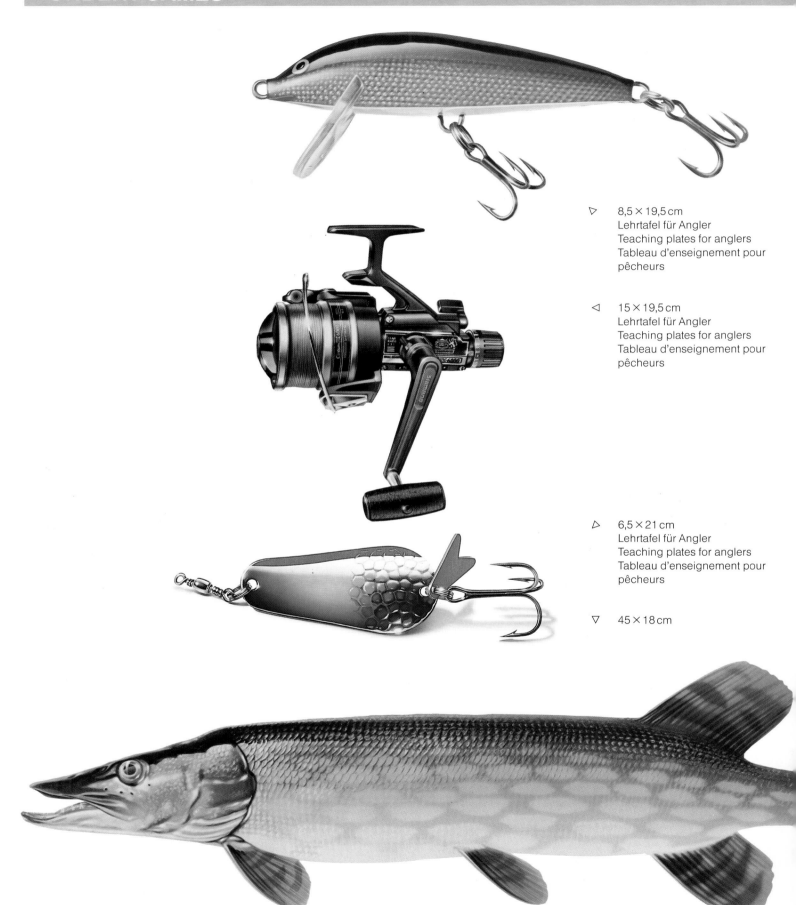

▽ 8,5 × 19,5 cm
Lehrtafel für Angler
Teaching plates for anglers
Tableau d'enseignement pour
pêcheurs

◁ 15 × 19,5 cm
Lehrtafel für Angler
Teaching plates for anglers
Tableau d'enseignement pour
pêcheurs

▷ 6,5 × 21 cm
Lehrtafel für Angler
Teaching plates for anglers
Tableau d'enseignement pour
pêcheurs

▽ 45 × 18 cm

△   50 × 80 cm
Art-poster
Art poster
Poster d'art

▷   48 × 56 cm
Art-poster
Art poster
Poster d'art

NORBERT CAMES

▷ 40 × 40 cm
Technische Illustration
Technical illustration
Illustration technique

△ 40 × 30 cm
Cover-Illustration
Cover illustration
Illustration de couverture

◁ 32 × 40 cm

65 × 90 cm ▷

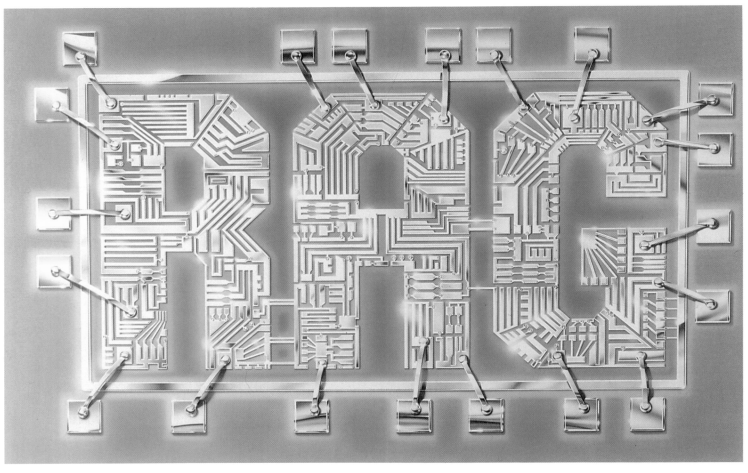

△ 50 × 80 cm
Anzeigenmotiv
Advertising
Motif d'annonces

▽ 30 × 39 cm

△ 50 × 50 cm
Teil eines Jubiläum-Logos
Part of an anniversary logo
Partie d'un logo de jubilé

▽ 31 × 40 cm
Anzeigenmotiv
Advertising
Motif d'annonces

△ 42 × 80 cm
Anzeigenkampagne
Advertising campaign
Campagne d'annonces

◁ 28 × 36 cm
Anzeigenmotiv
Advertising
Motif d'annonces

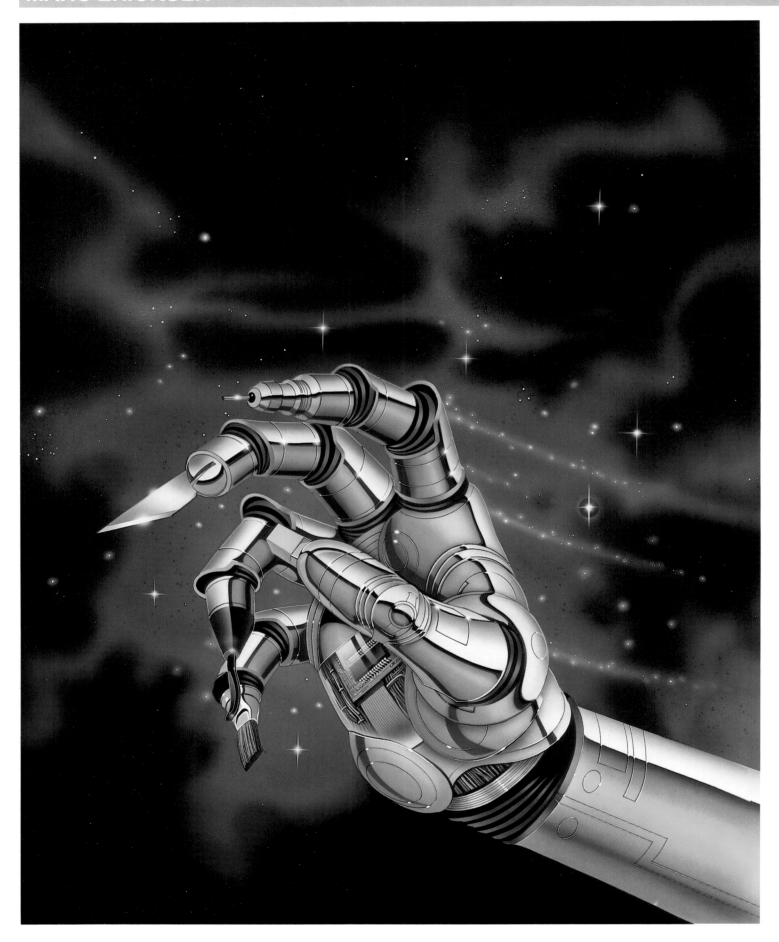

△ 33 × 38 cm
Anzeigenmotiv
Advertising
Motif d'annonces

57,5 × 50,5 cm ◁
Anzeigenmotiv
Advertising
Motif d'annonces

61,5 × 63 cm ▷
Anzeigenmotiv
Advertising
Motif d'annonces

◁ 82,5 × 66 cm
Anzeigenmotiv
Advertising
Motif d'annonces

◁ 54 × 50 cm
Auftragsarbeit
Commissioned work
Travail sur commande

▽ 54 × 76 cm
Auftragsarbeit
Commissioned work
Travail sur commande

82 × 66 cm ▷
Auftragsarbeit
Commissioned work
Travail sur commande

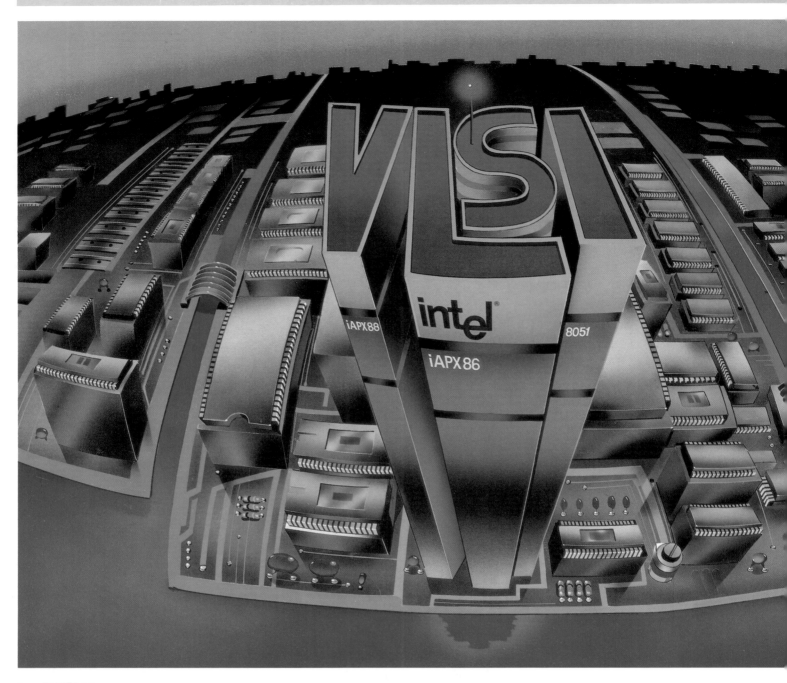

△   51 × 71 cm
Auftragsarbeit
Commissioned work
Travail sur commande

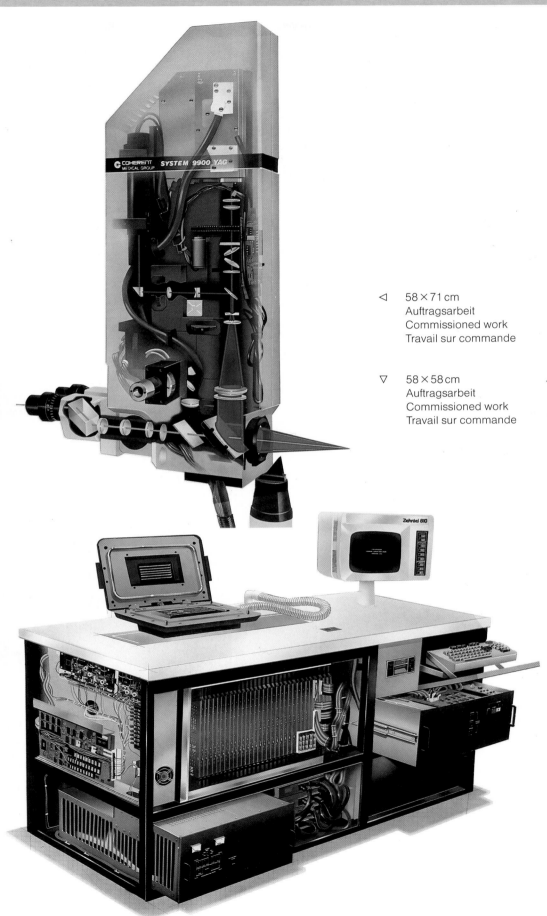

◁ 58 × 71 cm
Auftragsarbeit
Commissioned work
Travail sur commande

▽ 58 × 58 cm
Auftragsarbeit
Commissioned work
Travail sur commande

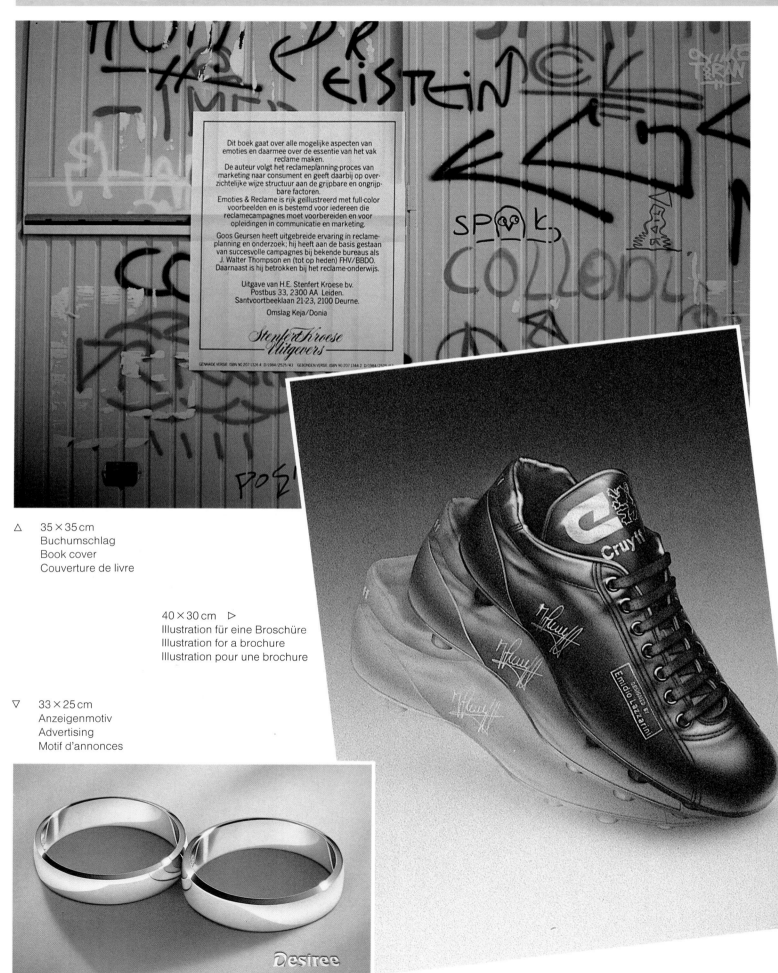

△ 35 × 35 cm
Buchumschlag
Book cover
Couverture de livre

40 × 30 cm ▷
Illustration für eine Broschüre
Illustration for a brochure
Illustration pour une brochure

▽ 33 × 25 cm
Anzeigenmotiv
Advertising
Motif d'annonces

◁   30 × 30 cm
Logotype

▽   40 × 30 cm
Display
Display
Affichage

35

◁ 65 × 30 cm
Anzeigenmotiv
Advertising
Motif d'annonces

△ 30 × 20 cm
Technische Illustration
Technical illustration
Illustration technique

45 × 33 cm ▷
Technische Illustration
Technical illustration
Illustration technique

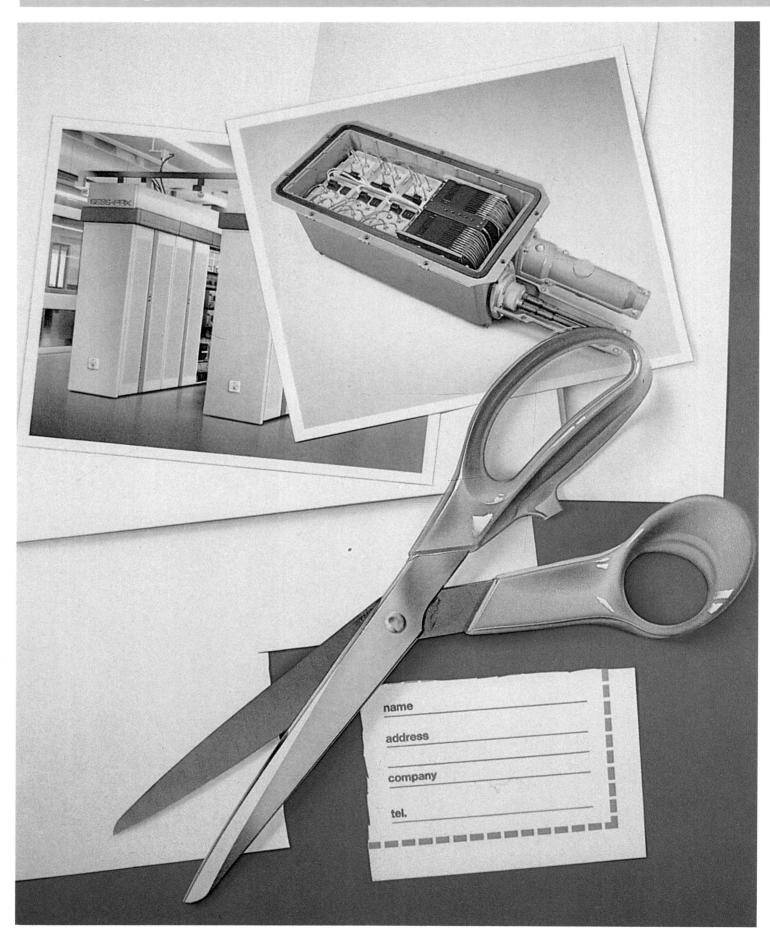

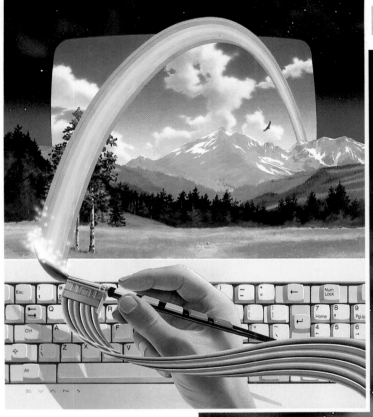

△ 38 × 30,5 cm
Werbeillustration
Advertising
Illustration publicitaire

◁ p. 38 40 × 30 cm
Illustration für ein Designbuch
Illustration for a book on design
Illustration pour un livre de design

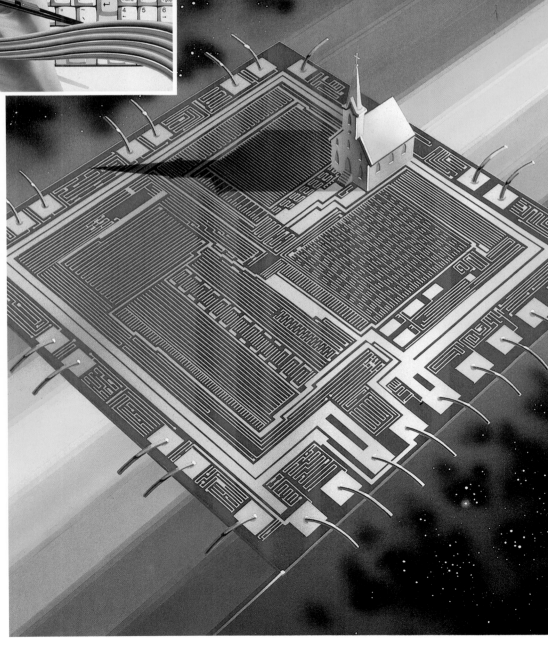

33,5 × 21 cm ▷
Werbeillustration
Advertising
Illustration publicitaire

◁   61 × 45,5 cm
Werbeillustration
Advertising
Illustration publicitaire

△   30,5 × 50,5 cm
Werbeillustration
Advertising
Illustration publicitaire

61 × 48 cm   ▷
Werbeillustration
Advertising
Illustration publicitaire

▽ 38 × 30,5 cm
Werbeillustration
Advertising
Illustration publicitaire

△ 42 × 32 cm
Werbeillustration
Advertising
Illustration publicitaire

◁ 43 × 33 cm
Werbeillustration
Advertising
Illustration publicitaire

◁ 38 × 30,5 cm
Werbeillustration
Advertising
Illustration publicitaire

▽ 45,5 × 45,5 cm
Werbeillustration
Advertising
Illustration publicitaire

◁ 43 × 45,5 cm
Werbeillustration
Advertising
Illustration publicitaire

▽ 33 × 38 cm
Werbeillustration
Advertising
Illustration publicitaire

36 × 25 cm ▷
Auftragsarbeit
Commissioned work
Travail sur commande

AUTOAR

CUSTOM AUTO PAINTERS

△ 48 × 74 cm
Auftragsarbeit
Commissioned work
Travail sur commande

▽ 60 × 80 cm
Technische Illustration
Technical illustration
Illustration technique

△ 70 × 50 cm
Auftragsarbeit
Commissioned work
Travail sur commande

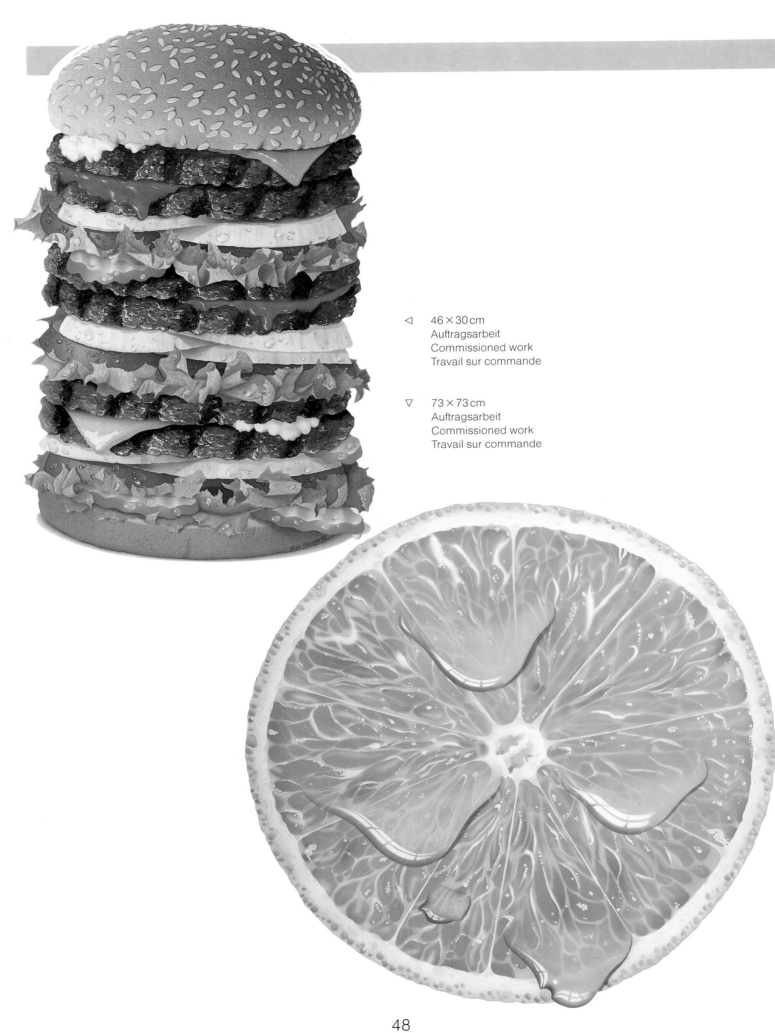

◁ 46 × 30 cm
Auftragsarbeit
Commissioned work
Travail sur commande

▽ 73 × 73 cm
Auftragsarbeit
Commissioned work
Travail sur commande

48

80 × 60 cm   ▷
Auftragsarbeit
Commissioned work
Travail sur commande

△ 40 × 70 cm
Zeitschriftenillustration
Magazine illustration
Illustration de magazine

▽ 80 × 50 cm
Signet des Künstlers
Artist's logo
Marque de l'artiste

▽ 76 × 51 cm
Logotype

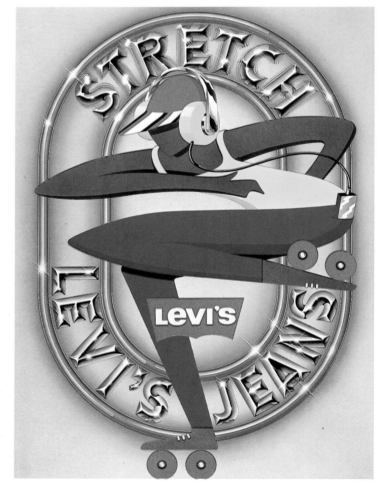

◁ 50×45 cm
Zeitschriftenillustration
Magazine illustration
Illustration de magazine

▽ 70×50 cm
Zeitschriftenillustration
Magazine illustration
Illustration de magazine

50 × 70 cm ▷
Titelbild
Front cover
Couverture

50 × 70 cm ◁
Zeitschriften-Cover
Magazine cover
Couverture de magazine

▽ 50 × 70 cm
Titelbild
Front cover
Couverture

▽▽ 50 × 30 cm
Titelbild
Front cover
Couverture

△ 50 × 70 cm
Titelbild
Front cover
Couverture

▽ 50 × 70 cm
Zeitschriftenillustration
Magazine illustration
Illustration de magazine

◁ 100 × 70 cm
Inseratmotiv
Advertising
Motif d'annonces

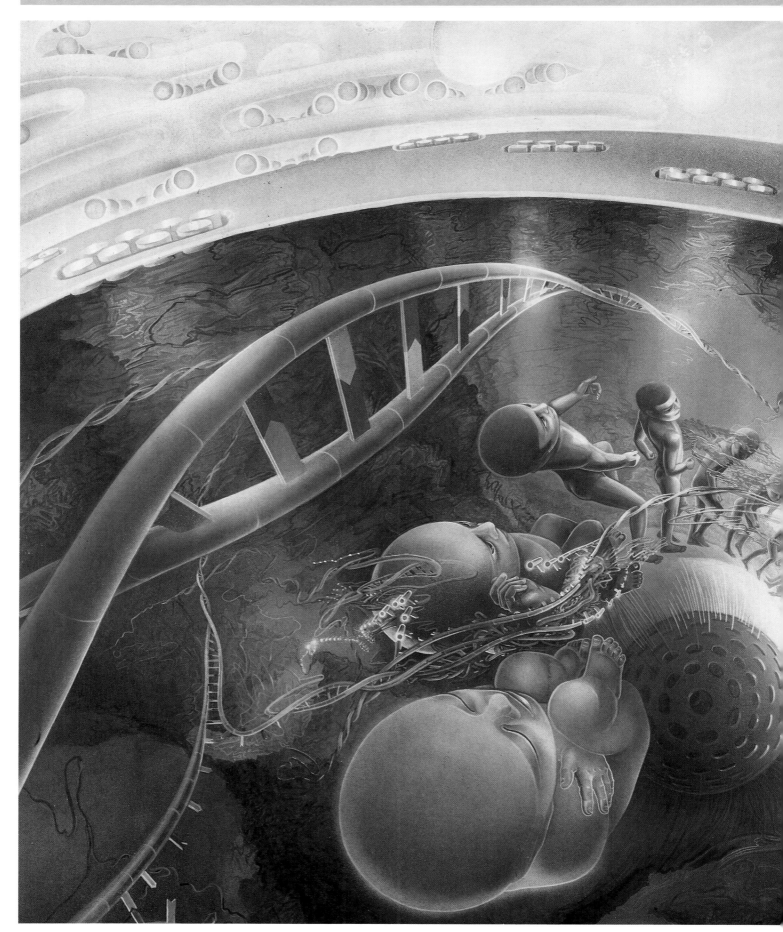

100 × 70 cm
Zeitschriftenillustration
Magazine illustration
Illustration de magazine

70 × 60 cm ▷
Inseratmotiv
Advertising
Motif d'annonces

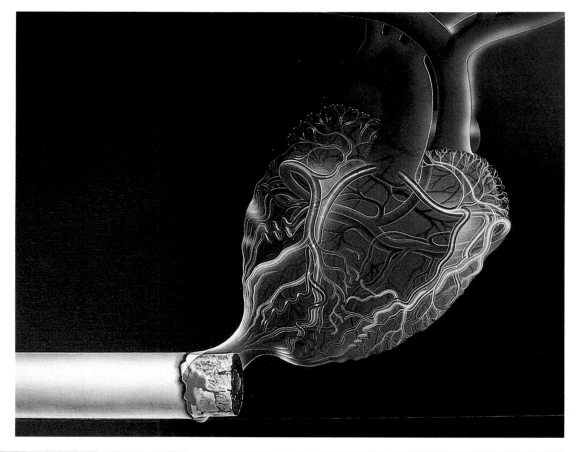

70 × 50 cm ◁
Zeitschriftenillustration
Magazine illustration
Illustration de magazine

▽ 70 × 50 cm
Zeitschriftencover
Magazine cover
Couverture de magazine

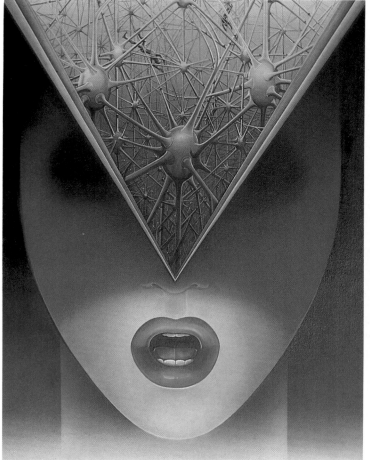

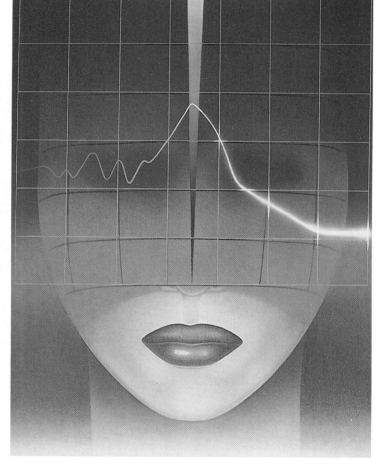

◁ 70 × 100 cm
Technische Illustration
Technical illustration
Illustration technique

▽ 80 × 90 cm
Anzeigenmotiv
Advertising
Motif d'annonces

57

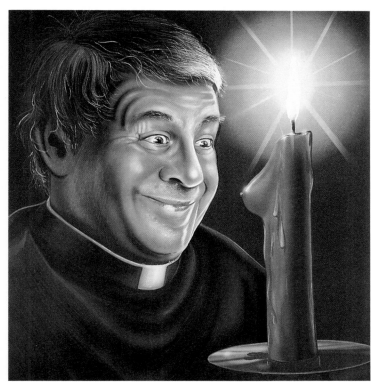

◁ 60×70 cm
Anzeigenmotiv
Advertising
Motif d'annonces

△ 36×40 cm

50 × 60 cm
Eigenwerbung
Self-promotion
Auto publicité

◁ 29 × 45 cm

▽ 21 × 29 cm

◁ 45 × 60 cm
Gewinnspiel-Illustration
Illustration for competition
Jeu à tirage gagnant

▽ 50 × 50 cm
Fensteraufkleber
Window sticker
Autocollant

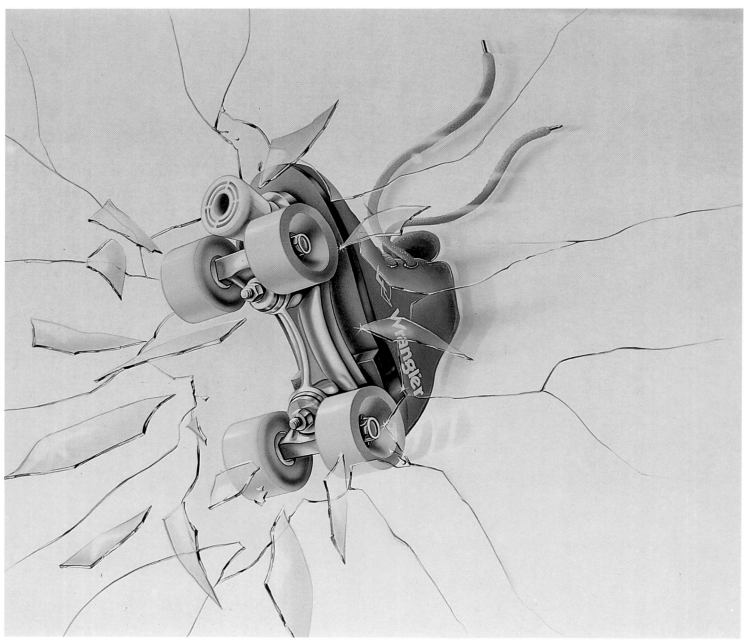

◁ 70 × 50 cm
Wettbewerbsarbeit
Entry for competition
Travail de concurrence

▽ 70 × 50 cm

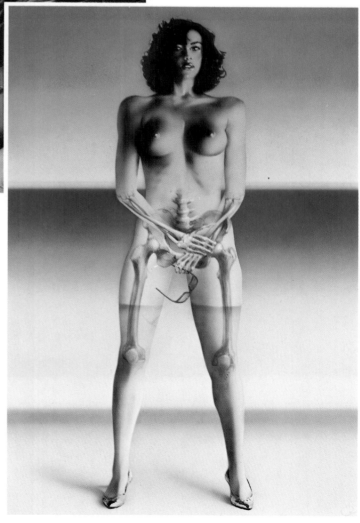

64

▽ 50 × 70 cm
Zeitschriftenillustration
Magazine illustration
Illustration de magazine

50 × 70 cm △
Plattencover
Record sleeve
Couverture de disque

70 × 50 cm ▷
Zeitschriftenillustration
Magazine illustration
Illustration de magazine

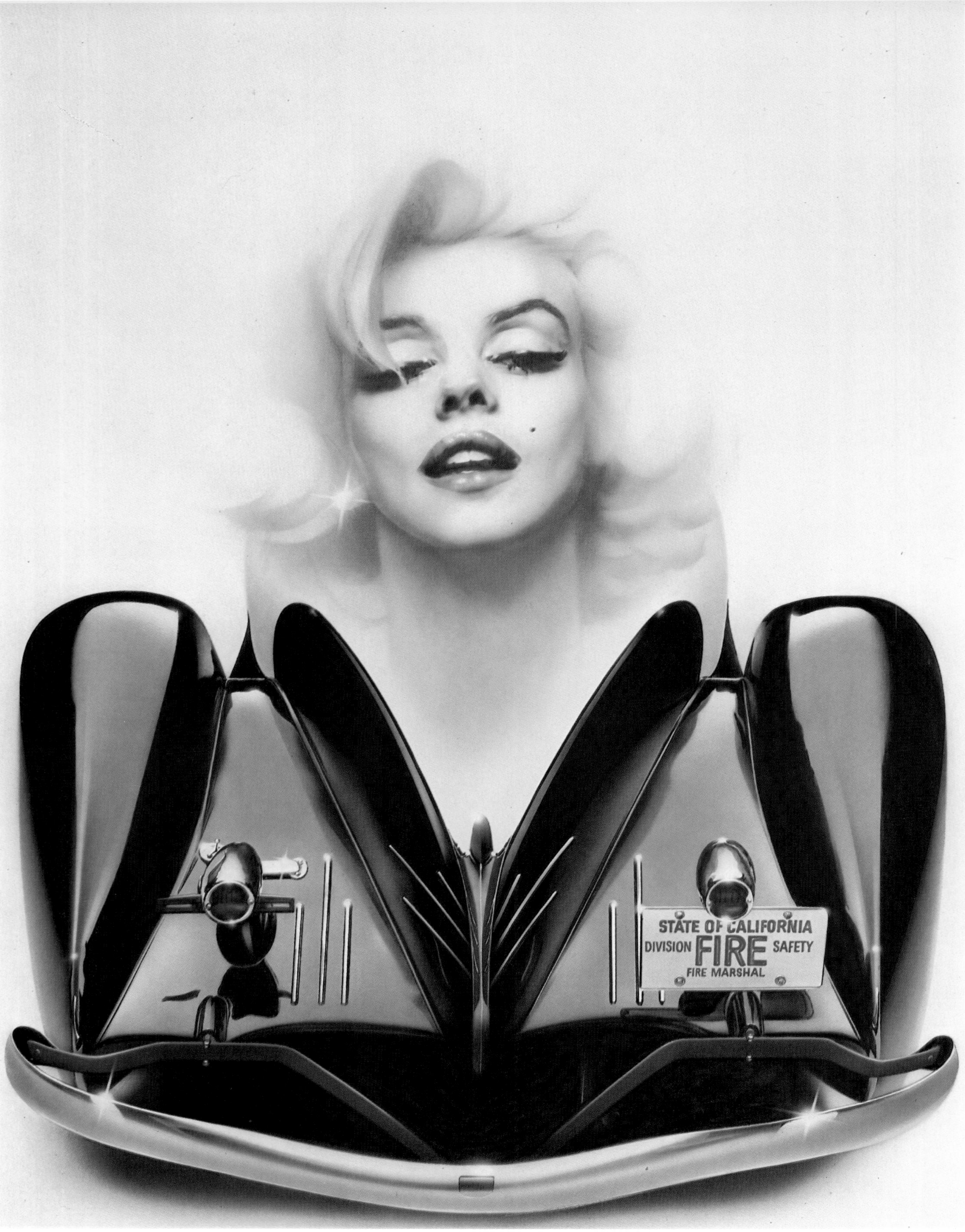
STATE OF CALIFORNIA
DIVISION FIRE SAFETY
FIRE MARSHAL

◁ 50 × 70 cm
Zeitschriftenillustration
Magazine illustration
Illustration de magazine

70 x 50 cm ▷
Eigenwerbung
Self-promotion
Auto-promotion

▽ 70 x 50 cm
Eigenwerbung
Self-promotion
Auto-promotion

p. 68   70 × 50 cm
Videocover
Video cover
Couverture de video

◁   70 × 50 cm
Zeitschriftenillustration
Magazine illustration
Illustration de magazine

▷   60 × 70 cm
Zeitschriftenillustration
Magazine illustration
Illustration de magazine

▽   50 × 60 cm
Ausstellungsposter
Exhibition poster
Poster d'exposition

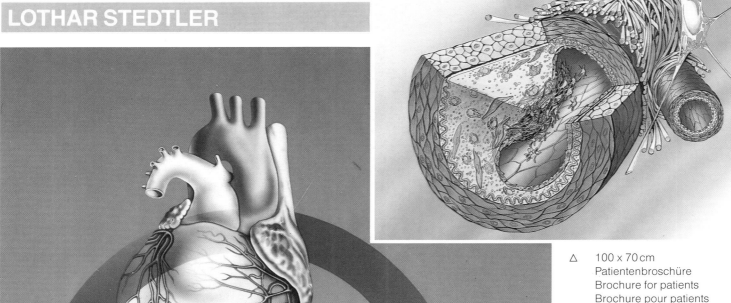

△ 100 x 70 cm
Patientenbroschüre
Brochure for patients
Brochure pour patients

◁ 100 × 70 cm
Plakat
Poster
Affiche

▽ 40 × 50 cm
Patientenbroschüre
Brochure for patients
Brochure pour patients

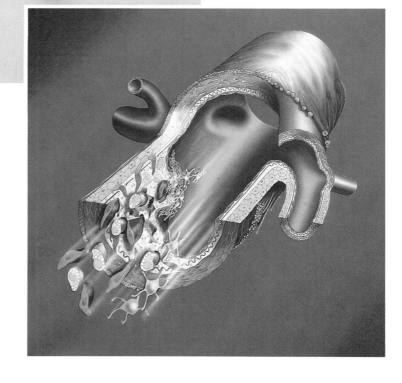

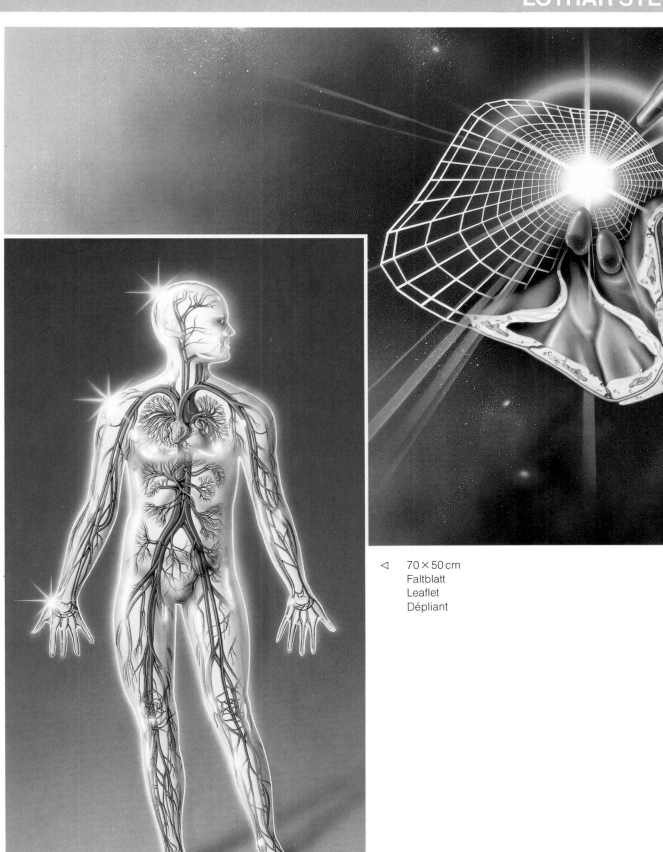

◁   70 × 50 cm
Faltblatt
Leaflet
Dépliant

△   50 × 70 cm
Faltblatt
Leaflet
Dépliant

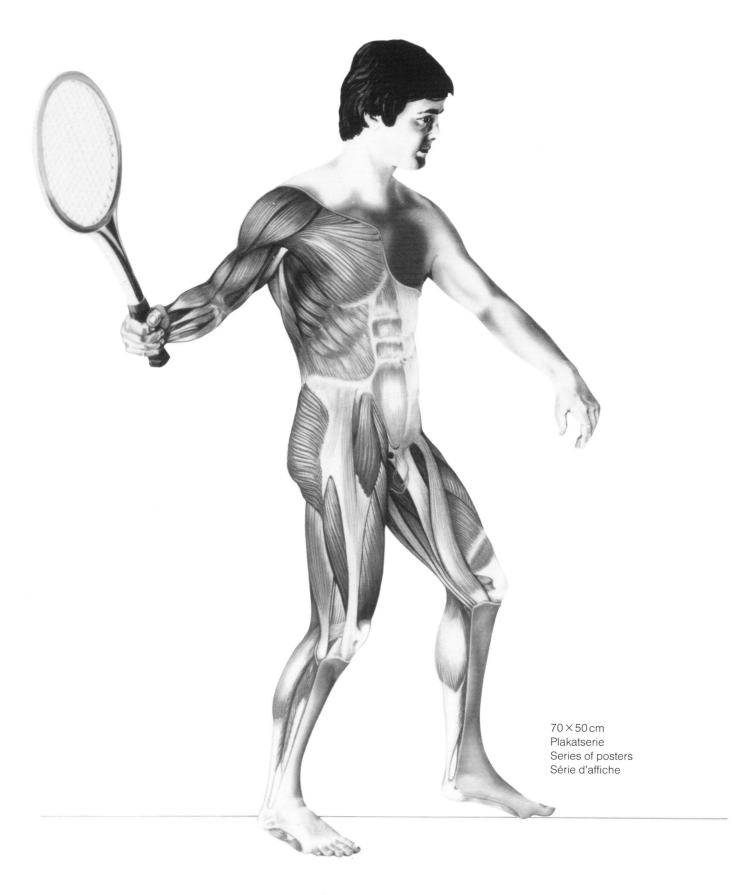

70 × 50 cm
Plakatserie
Series of posters
Série d'affiche

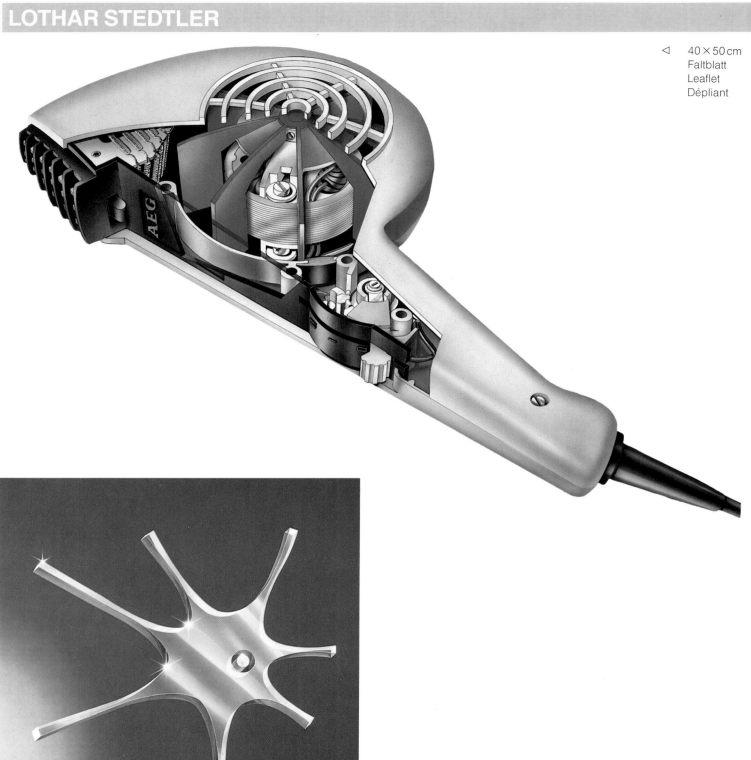

◁ 40 × 50 cm
Faltblatt
Leaflet
Dépliant

◁ 50 × 40 cm
Symbol für Anzeigen und Faltblatt
Symbol for advertisements
and leaflet
Symbole pour annonces et
dépliant

TECHNICAL ART

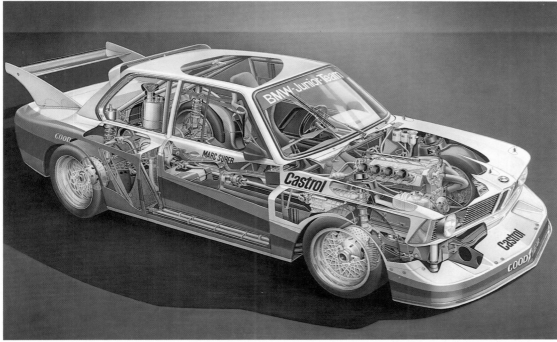

△ 50 × 60 cm
Kunstdrucke
Art prints
Impressions artistiques

◁ 60 × 80 cm
Poster

40 × 50 cm ▷
Prospekt und andere Werbe-
mittel
Brochure and other advertis-
ing media
Illustration publicitaire

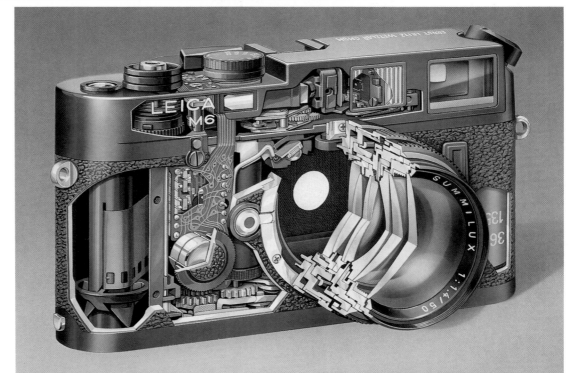

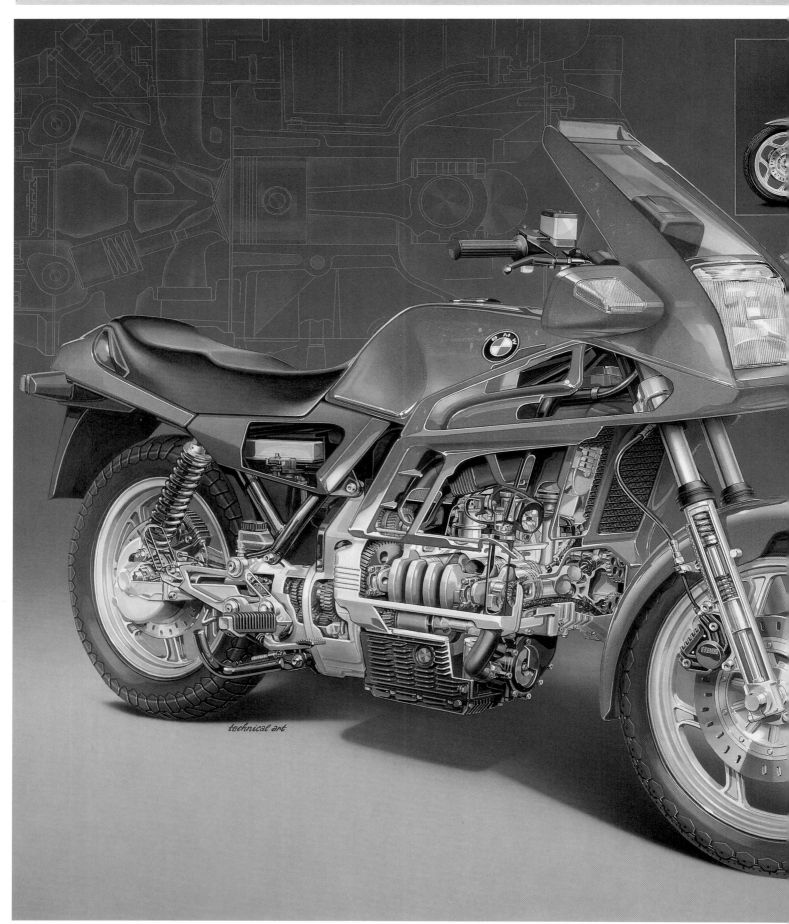

technical art

◁ 60 × 70 cm
Auftragsarbeit
Commissioned work
Travail sur commande

△ 50 × 60 cm
Prospekte, Messeplakat
Brochures, Trade fair poster
Prospectus, affiche pour foires

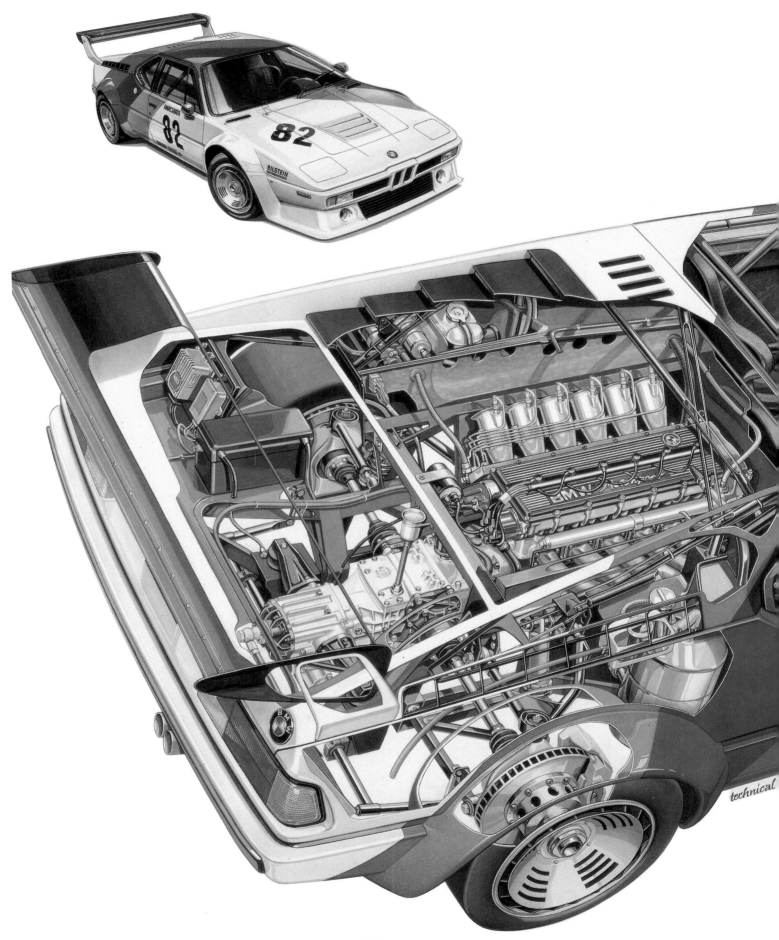

◁ 60 × 80 cm   p. 80 – 81   45 × 45 cm
Poster   Technische Illustration
                           Technical illustration
                           Illustration technique

90 × 60 cm
Poster ▷

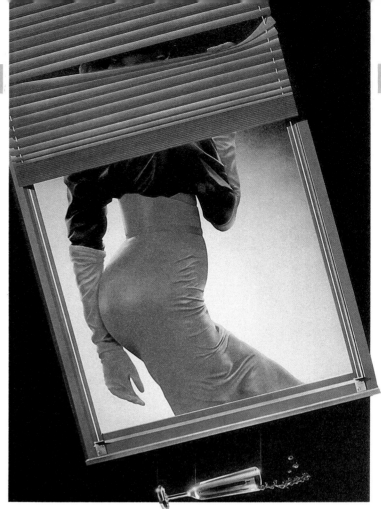

▽   70 × 100 cm
Poster

◁ 85 × 60 cm
Poster

▽ 50 × 70 cm
Technische Illustration
Technical illustration
Illustration technique

△ 70 × 100 cm
Poster

◁ 50 × 40 cm
Technische Illustration
Technical illustration
Illustration technique

◁ 80 × 50 cm
Poster

▽ 70 × 100 cm
Poster

85

◁ 75 × 60 cm
Poster

▽ 70 × 100 cm
Poster

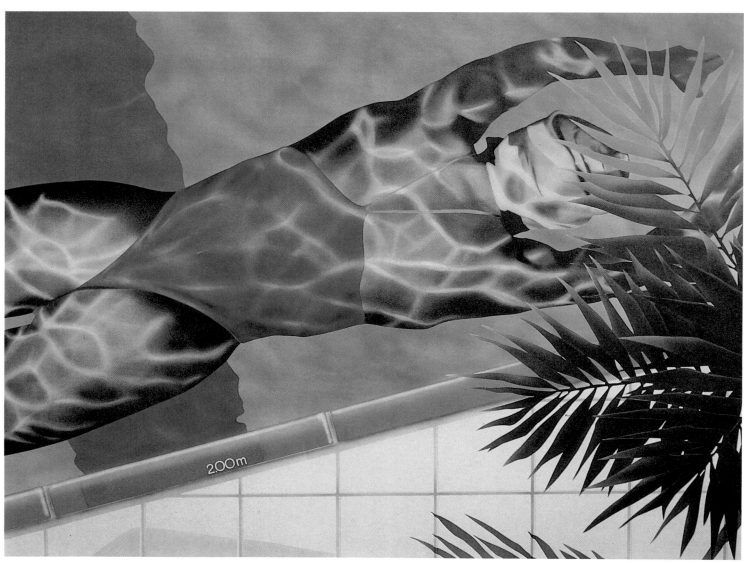

△   49 × 64 cm
Poster

63 × 50,5 cm   ▷
Poster

p. 88 ▽ 37 × 33,5 cm

Kunstdruck
Art print
Impression artistique

p. 88 ◁ 37 × 28 cm

Glückwunschkarte
Greeting card
Carte de voeux

p. 88 ▽ 61 × 81 cm

Poster

◁ 39 × 28 cm

Studiodruck
Studio print
Impression de studio

▽ 34 × 58 cm

Glückwunschkarte
Greeting card
Carte de vœux

89

◁ 48 × 61 cm
Kunstdruck
Art print
Impression artistique

MAL WATSON/ORIENTAL LADY

▽ 61 × 88,5 cm
Poster

◁   63 × 35 cm
Poster

▽   61 × 88,5 cm
Poster

47 × 34 cm ▷
Glückwunschkarte
Greeting card
Carte de vœux

▽ 59,5 × 76 cm
Poster

DIE KÜNSTLER   THE ARTISTS   LES ARTISTES

Unser besonderer Dank gilt C. Michael Mette, der uns bei der Auswahl der Künstler und ihrer Werke behilflich war.
Special thanks go to C. Michael Mette for his help in the selection of the artists and their works.
Nous tenons à remercier tout particulièrement C. Michael Mette pour son aide dans le choix des artistes et de leurs œuvres.

Gilda Belin, BRD, Illustratorin, lebt in Südfrankreich zusammen mit ihrem Partner F.-J. Rogner, Schwerpunkt: Menschen,
p. 6-15

Gilda Belin, West Germany, illustrator, lives in the south of France with her partner F.-J. Rogner. Speciality: people,
p. 6-15

Gilda Belin, RFA, Illustratrice, vit en France avec son partenaire F.-J. Rogner, Spécialité: l'Etre Humain,
p. 6-25

Fred-Jürgen Rogner, BRD, Illustrator, lebt in Südfrankreich zusammen mit seiner Partnerin Gilda Belin,
p. 6-15

Fred-Jürgen Rogner, West Germany, illustrator, lives in the south of France with his partner Gilda Belin,
p. 6-15

Fred Jürgen Rogner, RFA, Illustrateur, vit en France avec sa partenaire Gilda Belin,
p. 6-15

Guerrino Boatto, Italien, Jahrgang 49, Grafiker, Illustrator, lebt und arbeitet in Venedig,
p. 16-21

Guerrino Boatto, Italy, born 1949, graphic designer, illustrator, lives and works in Venice,
p. 16-21

Guerrino Boatto, Italie, né en 49, Dessinateur-graveur, Illustrateur, vit et travaille à Venise,
p. 16-21

Norbert Cames, BRD, Jahrgang 53, Lithograf, Illustrator, lebt und arbeitet in Deutschland,
p. 22-27

Norbert Cames, West Germany, born 1953, lithographer, illustrator, lives and works in Germany,
p. 22-27

Norbert Cames, RFA, né en 53, Lithographe, Illustrateur, vit et travaille en Allemagne,
p. 22-27

Marc Ericksen, USA, Illustrator, lebt und arbeitet in San Francisco, Ca., Schwerpunkt: Elektronisch-technische Motive,
p. 28-33

Marc Ericksen, USA, illustrator, lives and works in San Francisco, Ca. Speciality: electronic and technical subjects,
p. 28-33

Marc Ericksen, Etats Unis, Illustrateur, vit et travaille à San Francisco, Ca., Spécialité: motifs électroniques et techniques,
p. 28-33

Phil Evans, GB, Jahrgang 62, Illustrator, lebt in der Nähe von Amsterdam, Holland, Schwerpunkt: Technische Illustrationen,
p. 24-38

Phil Evans, GB, born 1962, illustrator, lives near Amsterdam, Holland. Speciality: technical illustration,
p. 24-38

Phil Evans, GB, né en 62, Illustrateur, vit près d'Amsterdam, Pays Bas, Spécialité: illustrations techniques,
p. 24-38

Robert Evans, USA, Illustrator, lebt und arbeitet in San Francisco, Ca., Schwerpunkt: Food,
p. 39-44

Robert Evans, USA, illustrator, lives and works in San Francisco, Ca. Speciality: food,
p. 39-44

Robert Evans, Etats Unis, Illustrateur, vit et travaille à San Francisco, Ca., Spécialité: Food,
p. 39-44

Rick Goodale, GB, Jahrgang 43, Grafiker, Illustrator, lebt und arbeitet in London, GB,
p. 45-50

Rick Goodale, GB, born 1943, graphic designer, illustrator, lives and works in London,
p. 45-50

Rick Goodale, GB, né en 43, Dessinateur-graveur, Illustrateur, vit et travaille à Londres, GB,
p. 45-50

Ute Osterwalder, BRD, Illustratorin, Schwerpunkt: populärwissenschaftliche Illustrationen, Naturalismus,
p. 51-56

Ute Osterwalder, West Germany, illustrator. Speciality: popular scientific illustrations, naturalism,
p. 51-56

Ute Osterwalder, RFA, Illustratrice, Spécialité: illustrations de sciences populaires, naturalisme,
p. 51-56

Heinz Röhrig, BRD, Jahrgang 49, Grafiker, Illustrator, lebt und arbeitet in Frankfurt,
p. 57-62

Heinz Röhrig, West Germany, born 1949, graphic designer, illustrator, lives and works in Frankfurt,
p. 57-62

Heinz Röhrig, RFA, né en 49, Dessinateur-graveur, Illustrateur, vit et travaille à Francfort,
p. 57-62

Peter Röseler, Jahrgang 34, Illustrator, lebt und arbeitet in Essen, Schwerpunkt: Menschen,
p. 63-68

Peter Röseler, West Germany, born 1934, illustrator, lives and works in Essen. Speciality: people,
p. 63-68

Peter Röseler, RFA, né en 34, Illustrateur, vit et travaille à Essen, Spécialité: l'Etre Humain,
p. 63-68

Lothar Stedtler, BRD, Illustrator, lebt in Overath bei Köln, Schwerpunkt: medizinische und technische Illustrationen,
p. 69-74

Lothar Stedtler, West Germany, illustrator, lives in Overrath near Cologne. Speciality: medical and technical illustrations,
p. 69-74

Lothar Stedtler, RFA, Illustrateur, vit à Overath, près de Cologne, Spécialité: illustrations de médecine et de technique,
p. 69-74

Ludwig Eberl, BRD, Jahrgang 29, Retuscheur, Illustrator, 76 Gründung der Fa. Technical Art, arbeitet in Dietzenbach bei Frankfurt, Schwerpunkt: Autos, Technik,
p. 75-81

Ludwig Eberl, West Germany, born 1929, retoucher, illustrator, founded the College of Technical Art in 1976, works in Dietzenbach near Frankfurt. Speciality: cars, engineering,
p. 75-81

Ludwig Eberl, RFA, né en 29, Retoucheur, Illustrateur, Fondation de «Technical Art» en 76, travaille à Dietzenbach, près de Francfort, Spécialité: voitures, technique,
p. 75-81

Norbert Schäfer, BRD, Jahrgang 40, Retuscheur, Illustrator, 76 Gründung Fa. Technical Art, arbeitet in Dietzenbach bei Frankfurt, Schwerpunkt: Autos, Technik,
p. 75-81

Norbert Schäfer, West Germany, born 1940, retoucher, illustrator, founded the College of Technical Art in 1976, works in Dietzenbach near Frankfurt. Speciality: cars, engineering,
p. 75-81

Norbert Schäfer, RFA, né en 40, Retoucheur, Illustrateur, Fondation de «Technical Art» en 76, travaille à Dietzenbach, près de Francfort, Spécialité: voitures, technique,
p. 75-81

Klaus Wagger, Österreich, Jahrgang 58, Illustrator, lebt in Bad Häring, Österreich, Schwerpunkt: technische Grafik,
p.82-86

Klaus Wagger, Austria, born 1958, illustrator, lives in Bad Häring, Austria. Speciality: technical graphics,
p. 82-86

Klaus Wagger, Autriche, né en 58, Illustrateur, vit à Bad Häring, Autriche, Spécialité: graphique technique,
p. 82-86

Mal Watson, GB, Jahrgang 53, Illustrator, lebt in Harrogate bei Leeds, Schwerpunkt: "West coast way of life",
p. 87-92

Mal Watson, GB, born 1953, illustrator, lives in Harrogate near Leeds. Speciality: "West coast way of life",
p. 87-92

Mal Watson, GB, né en 53, Illustrateur, vit à Harrogate près de Leeds, Spécialité: «West coast way of life»,
p. 87-92

C. Michael Mette, BRD, Jahrgang 47, Grafik-Designer, Illustrator, seit 10 Jahren Inhaber einer eigenen Werbeagentur in Hamburg; Herausgeber der "Airbrush-Zeitung", Verlag Creaspekt, Henstedt-Ulzburg; Autor des Buches "Airbrush Technik", TACO, Berlin.

C. Michael Mette, West Germany, born in 1947, graphic designer, illustrator, for the last ten years he has had his own advertising agency in Hamburg; publishes "Airbrush Zeitung", Creaspekt, Henstedt-Ulzburg; author of the book "Airbrush Technique", TACO, Berlin.

C. Michael Mette, RFA, né en 47, Graveur, Designer, Illustrateur, actuellement propriétaire d'une agence à Hambourg; directeur de la publication «Airbrush Zeitung» Edts. Creaspekt, Henstedt-Ulzburg; auteur du livre «Airbrush Technik», Edts. TACO, Berlin